Gabriel

SOPA DE LIBROS

Título original: *Die Seejungfrau in der Sardinenbüchse*

Juan Ignacio Luca de Tena, 15. 28027 Madrid

Primera edición, abril 1997; Segunda edición, septiembre 1997
Tercera edición, febrero 1998; Cuarta edición, septiembre 1998
Quinta edición, enero 1999; Sexta edición, junio 2000
Séptima edición, julio 2001; Octava edición, julio 2002

Diseño: Manuel Estrada

ISBN: 84-207-7769-2
Depósito legal: M. 33.572/2002

Impreso en ANZOS, S. L.
La Zarzuela, 6
Polígono Industrial Cordel de la Carrera
Fuenlabrada (Madrid)
Impreso en España - Printed in Spain

Pausewang, Gudrun
La sirena en la lata de sardinas / Gudrun Pausewang ; ilustraciones de Markus Grolik ; traducción de Alberto Jiménez. — Madrid : Anaya, 1997
112 p. : il. n. ; 20 cm. — (Sopa de Libros ; 7)
ISBN 84-207-7769-2
1. Convivencia. 2. Tolerancia. 3. Solidaridad. I. Grolik, Markus, il. II. Jiménez, Alberto, trad. III. TÍTULO. IV. SERIE
830-3

La sirena en la lata
de sardinas

T. C. F.
LIBRE DE CLORO

Este papel cumple
las recomendaciones
europeas sobre
medio ambiente.

SOPA DE LIBROS

Gudrun Pausewang

La sirena en la lata de sardinas

Ilustraciones
de Markus Grolik

Traducción de Alberto Jiménez

ANAYA

La sirena en la lata de sardinas

La señora Eleonora Zapatero, un ama de casa de cuarenta y cuatro años residente en Friburgo, regresó del supermercado y desempaquetó sus compras. Su hija de seis años, Juanita, la observaba. La señora Zapatero estaba colocando las bolsas de leche en la nevera cuando Juanita exclamó:

—Ahí suena algo.

La señora Zapatero escuchó. Ahora también podía oírlo ella. Sonaba como si unos nudillos golpearan contra una chapa. Abrió la puerta de casa, pero fuera no había nadie. ¿Sería un pájaro picando en la ventana o en el canalón? Se asomó. No se veía ningún pájaro.

—Viene de aquí —dijo Juanita, mientras daba vueltas por la cocina y giraba la cabeza de manera inquietante de un lado para otro. De repente acercó la oreja a una lata de sardinas que había traído su madre del supermercado y dijo—: Suena aquí dentro.

—Tonterías —dijo la señora Zapatero—. En una lata de sardinas sólo hay sardinas y están muertas.

—Entonces, lo que está golpeando es justamente una sardina muerta —replicó Juanita, y le acercó la lata a la oreja—. ¡Es verdad que suena ahí dentro, mami! ¡Alguien intenta salir!

—¡Abrámosla de una vez! —exclamó la señora Zapatero. Metió la pestaña de la lata en la ranura del abrelatas y enrolló la tapa con cuidado.

¿Qué esperaba ver? Cabezas y colas de sardinas en aceite, como era de suponer. Pero, cuando la lata estuvo medio abierta, algo se incorporó y se sentó: ¡una incomparable y maravillosa sirena!

La señora Zapatero tuvo que sentarse.

—No puede ser —gimió, y quiso volver a cerrar la lata.

Pero la sirena, liberada por fin de tanta estrechez, comenzó a estirarse y a crecer. Ya no estaba encajada entre sardinas. Juanita le quitó a su madre la lata de las manos con un grito de alegría, sacó a la sirena del aceite y, con mucho cuidado, la lavó con jabón, le secó el pelo y la peinó.

—¡Es como una Barbie, pero viva! —gritó alborozada, y le puso un vestido rosa de muñeca.

—¡Quítale las manos de encima, hija! —exigió la señora Zapatero—. Esto no me gusta. Métela en la panera hasta que regrese tu padre.

Cuando Max, el hijo mayor, volvió del fútbol, la sirena ya era tan grande como su hermana Juanita.

—¡Guaaaau! —exclamó Max, e inmediatamente se dio cuenta de que no era ninguna jovencita, sino una mujer. A continuación, lo que vio fue la cola de la sirena, cuando Juanita levantó el vestido que le había puesto. Era uno de los suyos: el vestido de muñeca había estallado.

Max quiso llevarse de inmediato a la sirena a su habitación para, según dijo, hacerle fotos. Porque nadie le creería cuando lo contara. ¡Una sirena auténtica!

Pero la señora Zapatero se puso furiosa. Le arrebató la sirena, la encerró en el cuarto de las escobas y mandó a los ni-

ños a su habitación. Cuando el señor Zapatero volvió del trabajo, le informó nerviosísima de lo que había sucedido.

El señor Zapatero, maestro de obras, abrió con cuidado el armario de las escobas. Allí estaba hecha un ovillo, entre el aspirador y la escoba, desnuda y tan grande como una mujer de verdad, y se

había puesto un trapo húmedo por los hombros.

—Sin duda es una sirena de verdad —dijo el señor Zapatero—, una auténtica sirena. Pertenece al agua.

Llenó la bañera y la metió dentro. Ella rió, chapoteó y movió alegremente la cola.

—Esto no puede ser de ninguna forma —dijo la señora Zapatero encolerizada—. ¿Dónde nos bañaremos nosotros si la bañera está ocupada?

—Naturalmente no puede quedarse en la bañera —dijo el señor Zapatero—. Esto es sólo una medida provisional. Una sirena en una bañera... ¡sería maltratar animales!

—¡Pero no es un animal! —gritó Juanita indignada—. ¡Es una persona!

—Tampoco es eso —dijo el señor Zapatero—. Es lo que se llama un ser fabuloso.

—De todas formas debe irse —dijo la señora Zapatero—. ¡Tenerla en casa me pone de los nervios! Y además, me quejaré en el supermercado. ¡Meter algo así en una lata de sardinas!

Durante toda la noche los Zapatero oyeron chapotear en el cuarto de baño. Al día siguiente, el señor Zapatero pidió permiso en el trabajo hasta el fin de semana, decidido a viajar a Italia.

—También hubiera servido el Báltico

—refunfuñó su mujer—. Hubieras podido ir hoy y estar de regreso mañana.

—Pero ella es de allí, de donde son las sardinas, de los mares del sur —respondió el señor Zapatero con vehemencia—. En nuestros mares se congelaría.

—Entonces, ¿por qué hay un monumento de una sirena en Copenhague? —exclamó Max con aire de superioridad.

—Se pueden hacer monumentos de cualquier cosa y en cualquier sitio —respondió el señor Zapatero—. Hasta de un pingüino en el desierto.

—¡Quiero ir contigo! —gritó Juanita.

Pero Juanita y Max debían ir al colegio. Por tanto, el señor Zapatero y la sirena emprendieron juntos el camino hacia el sur. Ella iba en un saco de dormir, para que no pasara frío, porque ya había entrado el otoño.

Habían partido temprano en dirección a Brenner. Pero al mediodía, para sorpresa de todos, estaba de regreso en casa, sin la sirena. Lo que había sucedido es

water cress

que, cuando tuvo que parar a hacer pis a orillas del lago Constanza, la sirena saltó del coche y se tiró al agua. Completamente desnuda. Había dejado el saco de dormir. Max lo olfateó: olía a berros.

—El lago Constanza es realmente cálido —opinó el señor Zapatero pensativo—. Pero, ¿cómo le sentará el agua dulce?

—Uno se acostumbra a todo —suspiró la señora Zapatero.

Al verano siguiente la familia Zapatero pasó las vacaciones en el lago Constanza. Pero la sirena no apareció. Sólo una vez, cuando estaban de excursión en la isla Mainau, oyeron estornudar en una mata de jazmines que había en la orilla y, después, algo chapoteó en el agua. Juanita afirmó haber visto una cola de pez grande y brillante entre las olas. Pero los peces no estornudan y quien puede estornudar no tiene cola de pez. Excepto las sirenas.

Así que debió de ser ella. ¿Quién si no?

La abuela Solveig recoge objetos de la playa

La abuela Solveig vivía en una casita detrás de las dunas de la costa danesa. Todavía estaba muy ágil. Por lo menos lo suficiente como para dar un paseo por la playa todas las mañanas. Lo hacía para mantenerse en forma, pero sobre todo porque le encantaba recoger los objetos que el mar arrojaba a la orilla. Cada mañana, al levantarse, pensaba impaciente: «¿Qué me habrá dejado el mar esta noche?». Para que nadie pudiera quitarle las cosas que le traía el mar, se levantaba muy temprano, cogía una cesta y se ponía en camino en cuanto desayunaba.

Tenía una vitrina repleta de objetos curiosos que le había regalado el mar a lo largo de su vida: un abanico japonés, un cerdito de la suerte de plástico, fabricado en Hong-Kong, una gorra de capitán, una flauta de bambú, varias botellas (con mensaje y sin él), una dentadura con dos muelas de oro, una muleta y cuatro calzoncillos, incluido un par confeccionado en Kuala Lumpur.

También exponía en la vitrina estos objetos textiles sin ningún pudor, eso sí, después de haber zurcido cuidadosamente los agujeros. Los restos del mar eran los restos del mar. Ella sabía mucho de la vida.

Naturalmente, también encontraba recipientes de plástico, tarros de cosméticos y de cremas solares, pinzas de la ropa, cepillos de dientes, latas de conserva y otras cosas por el estilo. Pero eso se lo dejaba a las cuadrillas del pueblo de Hanstholm que limpiaban la playa una vez a la semana.

La única hija de la abuela Solveig había muerto tras el parto de su primer hijo, por lo que ella había criado al niño.

Pero, por desgracia, el joven no había crecido tal como ella hubiera deseado. Era promotor inmobiliario en Copenhague y sólo tenía una cosa en la cabeza: hacer dinero. Iba a verla de tarde en tarde, pero sus visitas no duraban más de un cuarto de hora, tiempo que empleaba en intentar convencerla de lo a gusto que iba a estar en la residencia municipal. Mientras, miraba la casita, que tenía un gran jardín. Era su heredero y quería venderlo todo tan pronto como fuera

posible. Por un solar así detrás de las dunas, ideal para construir un gran hotel, podría sacar mucho dinero.

Pero la abuela Solveig no pensaba ni por lo más remoto en irse a una residencia.

Tras una noche de tormenta, salió una vez más a pasear con su cestita por la playa. De lejos divisó algo tendido en la arena, algo que se movía. Había perdido vista, por lo que tuvo que acercarse para ver qué era lo que intentaba alejarse de las olas.

Era un hombre. Ya no era joven, pero tampoco tan mayor como ella. Lo que llamaba la atención era su anticuado traje: llevaba pantalones bombachos y un zapato de hebilla. Debía haber perdido el otro y además tenía un agujero grande en el talón de la media.

El hombre jadeaba, agotado, y escupía agua. La abuela Solveig se compadeció de él e intentó ayudarle a levantarse. Pero estaba demasiado débil. Después de haberse arrastrado hasta la playa, donde las olas ya no podían atraparlo, todavía luchó por apoyarse en una mano, pero se desplomó gimiendo sobre la arena.

La abuela Solveig encontró la solución. Regresó a su casa apresuradamente, sacó del cobertizo el viejo cochecito de niño donde había paseado mucho tiempo atrás a su hija y más tarde a su nieto, metió una botellita de ginebra y un vasito, y empujó el viejo y oxidado vehículo hacia la playa.

Mientras tanto, el náufrago había conseguido sentarse. Con ayuda de la abuela Solveig logró incluso, después de haber dado unos tragos de la botella —rechazó el vaso—, echarse de bruces, atravesado, sobre el cochecito.

La abuela empujó el cochecito hacia su casa a través de las dunas, dejando un rastro de agua.

Antes de nada, se preocupó de que se cambiara la ropa mojada. Todavía tenía colgados en el armario la camisa y el traje de boda de su marido, así como un par de calcetines y zapatillas de deporte de su nieto. Sacó de la vitrina unos calzoncillos, pero no los de Kuala Lumpur.

Con tres tazas de café y un plato de huevos con jamón, el forastero comenzó a sentirse mejor, y la abuela Solveig se enteró, aunque el náufrago hablaba un danés arcaico y balbuciente, de quién era su huésped: ¡nada menos que el Holandés Errante!

La abuela Solveig había aprendido algo sobre el Holandés Errante en la escuela. Pero en la leyenda este personaje siempre aparecía con su goleta y... ¿dónde estaba el barco?

Pronto recuperó las fuerzas y se lo contó todo. La noche anterior estaba solo al timón, después de haber mandado a su tripulación a los camarotes. Entonces, le llamó la atención algo luminoso que flotaba en el mar. Era un gran cartel de madera en el que había una inscripción. Dos palabras. Para poder descifrarlas en la oscuridad se había asomado por la borda sosteniendo un farol, y se había inclinado demasiado. Se había caído sobre el cartel, el farol había desaparecido y nadie había oído sus gritos de auxilio. Y así había ido a la deriva, agarrado al rótulo, y pronto había perdido de vista el barco. ¡Su barco, su goleta!

—¿Y qué había escrito en el cartel? —preguntó la abuela Solveig conteniendo la respiración.

—Algo extraño —respondió el Holandés Errante—, que no sé explicar: «Coca-Cola».

El hombre le pidió a la abuela que le permitiera quedarse durante algún tiempo, hasta que su tripulación le encontrara. Seguro que daban con él: tenían el olfato necesario para ello. Esta situación no se prolongaría más allá de un par de semanas.

La abuela Solveig no tenía nada en contra de que se quedara. Podían arre-

glárselas con su pensión. Ella vivía con cierta holgura. Y arriba, en la buhardilla, estaría bien; había una magnífica vista sobre el mar. ¡Qué bella tarea dar cobijo a un náufrago, y más a un personaje de tanta importancia!

Vivían en perfecta armonía. La abuela Solveig le hacía calcetines de punto y él partía leña para la chimenea, que también calentaba su habitación. Por la noche se sentaban juntos delante de la tele. Lo único que le molestaba a la abuela Solveig era la costumbre del Holandés, patente sobre todo cuando veía la televisión, de mover la cabeza. Pero ella toleraba su tic, pues también él soportaba sus fuertes ronquidos cuando se quedaba dormida ante el televisor.

El Holandés la acompañaba en sus paseos matutinos por la playa y le llevaba gentilmente la cestita. A él también le interesaban los restos del mar. La casualidad quiso que al tercer día de su llegada encontrara el otro zapato semicubierto de arena. Se puso muy contento. Llevaba sus zapatos de hebilla, así se lo contó a la abuela Solveig, desde hacía unos trescientos años. En todo ese tiempo se habían adaptado completamente a sus pies. Por el contrario, los zapatos de su nieto le resultaban... extraños. El Holandés se había callado por cortesía.

La abuela Solveig le hablaba a todo el mundo con mucha ingenuidad de su huésped, el Holandés Errante; hablaba en la panadería, en la carnicería, en el supermercado. La escuchaban con cortesía observando al mismo tiempo cómo a ella también le temblaba la cabeza.

—Si esto ha ido ya tan lejos —le dijo el panadero al carnicero—, no se la debería dejar vivir sola y apartada. Estaría mejor en una residencia.

Finalmente, la mujer del panadero llamó al nieto a Copenhague. Éste apareció al día siguiente muy contento. Cuando llegó a la casita le acompañaba un médico.

La abuela Solveig abrió. La habían despertado de su siesta, por lo que tenía

el pelo un poco revuelto. A la pregunta de cómo se encontraba, respondió:

—Curiosamente, hijo mío, nunca he estado tan bien como ahora, desde que el Holandés Errante vive conmigo. Es de veras un hombre encantador. Muy considerado y galante. Lleva el traje de boda del abuelo y los calzoncillos de mi vitrina...

El nieto miró a su alrededor:

—¿Y dónde está ahora?

—En el cobertizo. Partiendo leña.

La abuela sabía ya muchas cosas del Holandés Errante, excepto que podía hacerse invisible. Y cuando entró con el médico y su nieto en el cobertizo y gritó: «¡Hola, señor Holandés! ¡Tenemos visita!», allí no había nadie. El hacha estaba en el tajo, alrededor del cual había unos leños esparcidos.

—¿Quizá ha bajado a la playa? —se preguntó desconcertada—. Hace un momento estaba aquí. Hemos comido juntos...

Ese mismo día, a pesar de sus desesperadas protestas, la llevaron a Hanstholm en una ambulancia de la Cruz Roja, con dos maletas llenas de ropa y unas cuantas fotos de familia, y la internaron en un asilo. Intentó huir dos veces, después de lo cual no la perdían de vista y le daban tranquilizantes que la amodorraban. Así podían controlarla. Cuando se lamentaba: «¿Pero cómo se las arreglará solo el Holandés Errante?», la enfermera le contestaba con un dulce y complaciente tono profesional:

—No se preocupe, abuela Solveig. Es todo un hombre...

¡Y el Holandés Errante supo arreglárselas de verdad! Cuando dos días más tarde el nieto regresó a la casita de su abuela —en compañía del director de una cadena de hoteles al que le había ofrecido la finca, que éste examinó con todo detalle—, comprobó con sorpresa la falta de la vieja vitrina que tanto había amado de pequeño. Sospechó de ladrones de antigüedades, pero desde luego sin mucha pericia, porque la vitrina no tenía casi valor. Y lo que la anciana había guardado dentro, menos todavía. ¡Les estaba bien empleado!

Y le vendió la casita y el jardín al director de la cadena de hoteles.

Pero con esto no acaba la historia. Tres meses más tarde, en medio de un oscuro y tormentoso día de noviembre, y precedida por unos grandes cúmulos de nubes que cubrían el cielo, una goleta navegaba en dirección a la costa danesa. Se dirigía a la pequeña ciudad de Hans-

tholm. Cuando le empezó a estorbar el tendido eléctrico, se elevó en el aire y dio un par de vueltas sobre el pueblo. Unos gallos echaron a volar llenos de pánico, mientras los viandantes entraban precipitadamente en las casas más próximas.

Como era su costumbre desde que la habían ingresado en el asilo, a esa hora la abuela Solveig estaba asomada a la ventana, miraba al exterior con nostal-

gia y pensaba en su casita y en su huésped, el Holandés Errante.

Entonces apareció en el cielo la goleta: descendió y aterrizó en la pradera contigua al asilo. Sus velas se desplegaron y ondearon sus banderas.

La abuela Solveig vio, gracias a las gafas que le había prescrito el médico de la residencia, que un hombre descendía del barco por una escala de cuerda. Un hombre que llevaba el traje nupcial de su fallecido esposo. Le seguían docenas de figuras temerarias armadas con sables y lanzas.

La abuela Solveig contuvo la respiración. ¡Era él!

—¡Viene el Holandés Errante! —gritó fuera de sí de felicidad—. ¡Viene a buscarme!

Los ancianos de la sala se levantaron sobresaltados de sus sillones:

—¿Qué sucede? ¿Quién viene?

—Ya está bien, abuela Solveig —susurró un enfermero, y se le acercó con un sedante.

Pero antes de que hubiera llegado a su lado, se abrió de golpe la puerta de la terraza, una ráfaga huracanada levantó los manteles de las mesas y las cortinas hasta el techo del salón, y el Holandés Errante entró con su tripulación. Apartó a un lado al enfermero, cogió a la abuela Solveig con su fuerte brazo y se la llevó al barco. Tres minutos más tarde emprendió el vuelo y desapareció entre las nubes.

—Ha estado aquí el Holandés Errante —balbucearon los ancianos fascinados cuando llegó corriendo la enfermera jefe.

—No —respondió la enfermera jefe en voz alta y con un tono tranquilo—. No ha estado nadie aquí. Absolutamente nadie. ¡Ha sido la tormenta la que ha abierto la puerta!

—¡Pero nosotros lo hemos visto! —gritó un antiguo capitán—. ¡Aquí, entre nosotros!

—El Holandés Errante no existe —respondió la enfermera jefe bruscamente—. Por tanto, nadie ha podido verlo.

—Y entonces, ¿dónde está la abuela Solveig? —preguntó con timidez una anciana.

—Ha huido al abrirse la puerta —contestó la enfermera—. ¡Pobre! ¡Quién sabe si podrá sobrevivir con este tiempo!

¡Pues claro que sobrevivió! Ahora ocupa un bonito camarote de la goleta. Allí está también su vitrina, que contiene algunos objetos nuevos. Porque el Holandés Errante ha ordenado a su tripulación que pesque del mar todo lo que prometa ser interesante. Por ejemplo, un arco de violín. Y un calzador. Pero también las aspas de una batidora. Los marineros del Holandés Errante lo hacen, pero no entienden para qué.

El Holandés Errante sólo permite que la abuela Solveig prepare el desayuno, y desayuna con ella. ¡Sólo con ella! La abuela le zurce las medias. A los marineros, que la adoran, les prepara confitura los domingos. Auténtica confitura de mantequilla danesa. Para las próximas Navidades ya ha pensado en una sorpresa: ¡unas muñequeras de lana tejidas por ella para todos los miembros de la tripulación, y para el Holandés Errante una riñonera de angora!

Cuando el viento está en calma, algunas veces se asoma por la borda y mira el mar. Aquí, desde el barco, es diez veces más bonito que desde su casita detrás de las dunas. ¿Cómo pudo vivir allí tanto tiempo?

El bufón sin sombra

Había una vez un bufón al que le faltaba algo: cuando estaba al sol, no proyectaba sombra. Eso, sin embargo, no le molestaba. ¿Para qué sirve una sombra?

Pero un día que paseaba por las cercanías de un pantano se encontró con una bufona. Se detuvo frente a ella y le pareció tan adorable, tan tierna y tan maravillosa, que le preguntó:

—¿Quieres casarte conmigo?

La bufona echó una ojeada al sol y otra al suelo y dijo:

—Sólo querré a un bufón con sombra, y tú no tienes.

El bufón se puso muy triste. Dejó caer la cabeza de tal forma que la bufona se sintió apenada. Le pasó el brazo por los hombros y le dijo:

—Conozco el secreto para conseguir la sombra; es muy fácil. Hay que saber lo que uno tiene debajo de la piel.

—¡Pero no puedo desprenderme de mi piel! —exclamó el bufón.

—Te equivocas —respondió la bufona—. ¿Nunca has pensado para qué sirve el cierre que llevas en la espalda?

—Nada sé de ningún cierre —contestó enfadado el bufón—. Y no quiero saber ni una palabra.

La bufona se rió y, desabrochándose el cierre de la espalda, se quitó su piel de

bufona. ¿Y qué apareció entonces? ¡Un gato! El bufón gritó.

—Qué, ¿lo crees ahora? —maulló el gato mientras sacaba las uñas y observaba con ojos relampagueantes a un ratón que pasaba como una flecha. Momentos después abrió el siguiente cierre y se desprendió de la piel gatuna. ¿Y qué apareció entonces? ¡Un ganso!

El bufón gritó nuevamente.

—Esto no es todo —graznó el ganso. Abrió entonces el tercer cierre y se desprendió de la piel. ¿Y qué apareció entonces? ¡Un sapo!

El bufón profirió un gritó terrible y co-

rrió despavorido a esconderse entre los juncos.

Desde allí oyó que la bufona le decía con voz suave:

—Bufón, sal de los juncos y ven aquí. ¿Es quizá un medroso conejo lo que llevas dentro?

Al fin salió el bufón titubeante de la espesura. Al no ver ni sapo, ni ganso, ni gato, sino solamente a la maravillosa bufona, dijo:

—Pues no, ¿qué te imaginas? Me he metido entre los juncos porque tenía sed y quería beber agua. ¡Yo no le tengo miedo a nada!

La bufona sonrió y, antes de que el bufón tuviera tiempo de reaccionar, le abrió el cierre y le quitó la piel de bufón. ¿Y qué apareció entonces? Un conejo, efectivamente, temblando de miedo.

—Mi conejito querido —dijo la bufona con ternura aferrando el siguiente cierre—, ¿de esa ciénaga querías beber? ¿No te tentaba más hozar en el barro?

Uno, dos, tres, le despojó entonces de

la piel de conejo y, juntando las manos, exclamó:

—¡Pero qué cerdito más redondito y más precioso tenemos aquí!

—¡Ni se te ocurra abrir más cierres! —resopló el cerdito—. ¡O ya verás lo que pasa!

Pero la bufona ya estaba tirando del siguiente cierre, y en un momento le despojó de la piel de cerdo antes de que pudiera impedirlo.

—¡Íííííííí! —gritó la bufona.

—¿Qué soy ahora? —preguntó... Sí, pero, ¿quién lo preguntó? ¿El bufón?

—Mírate en el pantano —balbuceó la bufona.

Lleno de malos presentimientos se dirigió a la orilla. Las pieles le colgaban del cuerpo y tropezaba con ellas. Al mirarse en el agua vio... ¡un pulpo!

—¡No, no, no! —tartamudeó—. ¡No quiero! ¡Auxilio!

La bufona fue corriendo, le puso las pieles en su sitio y aseguró los cierres concienzudamente.

—¿No puedo quedarme sólo con la piel de bufón y tirar las otras tres al pantano? —preguntó el bufón con un hilo de voz.

—No funciona —respondió la bufona—. También yo lo he probado, pero entonces la piel de bufona no me sirve: me queda demasiado grande. Únicamente conservando las pieles de debajo me está como un guante.

—¿Y ahora? —suspiró el bufón—. Me gustas tanto, querida, hermosa bufona... Pero no me hacen gracia los gatos ni los gansos, y los sapos no me agradan en absoluto.

—Lo mismo que me pasa a mí con los conejos, los cerdos y los pulpos —contestó la bufona—. Pero ahora cada uno sabe lo que el otro tiene bajo la primera piel. Y además mira, ya das sombra.

El bufón miró y, en efecto, ahora proyectaba una verdadera sombra, muy densa y oscura, que se extendía sobre la tierra.

—¿Y qué hay verdaderamente en nuestro interior, debajo de la última piel? —preguntó.

—No puedes verlo, pero sí oírlo —respondió la bufona—, y a veces incluso sentirlo.

Se aproximó a él y le acercó la cabeza a su pecho.

—¿Oyes cómo palpita? —preguntó—. Es el corazón. Tú también tienes uno.

El bufón suspiró profundamente y se quedó pensativo.

—Me parece —dijo la bufona— que podríamos pasarlo bien juntos, ¿no?

La bufona se sentó a la orilla del pantano, con los pies colgando sobre el agua. Él se sentó junto a ella y se estremeció

un poco, y ella ronroneó suavemente, y él gruñó por lo bajo, y ella croó con dulzura, y los dos soltaron unas risitas. Una maravillosa pareja de bufones, de brillantes y bien dibujadas espaldas.

—Sí —respondió él.

Y al decirlo, sintió su corazón, allá en lo hondo; era tan cálido que todo él se templó. Se apoyó en la bufona, y la bufona se apoyó en él, y las sombras de los dos se fundieron en una.

CARRUSEL DE PRINCESAS Y DRAGONES

Érase una vez un dragón que vivía muy tranquilo en el cráter de un volcán. Se sentía muy bien con el calorcito. Todos los meses ponía un huevo de oro. ¿Pero qué se puede hacer con huevos de oro en un volcán? Él no necesitaba comprar nada, pues sólo comía escoria, y de eso había en el cráter en abundancia. Así pues, dejaba caer los huevos por la garganta del cráter para que se derritieran.

Pero una mañana apareció una princesa en un helicóptero. Lo pilotaba ella misma. Dio vueltas por encima del cráter y descolgó ganchos y lazos. El dragón lo observaba todo con curiosidad.

¡El dragón sintió de repente como si le pusieran un lazo al cuello y lo apretaran, notó ganchos en la crin y en la cola! Y fue izado, llevado por los aires y depositado en el fondo de un pozo vacío de un castillo. Los lazos se aflojaron y desaparecieron con los ganchos por la boca del pozo; el helicóptero enmudeció.

El pobre dragón se desmayó de miedo. Cuando volvió en sí, la princesa le gritó desde la boca del pozo:

—Cuando me hayas puesto cien huevos de oro, te dejaré libre. ¡Y ahora túmbate!

Se sobrecogió de miedo. ¡Para poner cien huevos de oro necesitaba por lo menos ocho años! ¿Y huir? ¿Del pozo? Imposible. Lloró amargamente.

Sucedió que, por aquel entonces, llegó al castillo un príncipe montado en un caballo, pues había oído hablar de una bella princesa y deseaba pedir su mano.

Cuando el príncipe oyó lamentarse tan desconsoladamente al dragón, se quedó muy sorprendido, se asomó al pozo y se

sobresaltó. Pero cuando el dragón le contó su desgracia, el joven se dio cuenta de que el monstruo no albergaba malas intenciones y, conmovido, decidió ayudarlo. Hizo tiras su capa de seda, las anudó entre sí y lanzó la cuerda por el pozo, para que el dragón pudiera trepar hasta la superficie.

En el mismo instante en que libertador y rescatado se abrazaban, apareció la princesa.

—¿Qué sucede? —gritó, furiosa—. ¿Quién te crees que eres para liberar a

mi dragón? Tiene que poner huevos de oro para mí —y se abalanzó contra el príncipe.

Entonces, él se dio cuenta de que era realmente hermosa, pero tenía malos sentimientos y no conocía la compasión. Cogió a la princesa y la arrojó al pozo.

—¡Ahora te quedarás ahí, hasta que hayas puesto cien huevos de oro para mí! —le gritó, mientras lacayos y doncellas bailaban alegremente alrededor del pozo por haberse librado de ella.

—Haz traerle escoria o se morirá de hambre —advirtió el dragón—. Y ordena a sus sirvientes que la cuiden.

Así lo hizo el príncipe. Después partió de allí con el dragón en dirección a su castillo, a casa, donde su invitado se sintió en la gloria. Es cierto que al principio lo que más le gustaba era la escoria, pero pronto probó también la carne asada, el vino y las tartas. Y antes de un mes se le cayeron la cola y los dientes. A los dos meses comenzó a caminar erguido, al tercero perdió las garras y en su lugar le salieron unas manos bonitas y delicadas. En el cuarto mes su rostro se moldeó y se volvió humano. Así continuó mes tras mes.

A la princesa que estaba en el pozo le creció una espantosa cola y de su espalda brotaron púas puntiagudas. Pronto sólo pudo arrastrarse, sus manos se convirtieron en garras y la boca se le hizo descomunal.

Después de un año, el príncipe regresó al castillo de la princesa. Le acompañaba una bella muchacha que, sin embargo, tenía en su nuca algunas escamas. Ambos se asomaron temerosos al pozo. Allí vieron un horrible dragón que se enroscaba en torno a un huevo de oro.

¿Qué más se podría contar? El príncipe se casó con la joven y le regaló el helicóptero, que ella le había pedido con vehemencia. Las escamas de la nuca se le cayeron tras la boda.

Y el dragón ponía un huevo al mes. Pero cuando hubo puesto diez huevos, el príncipe lo dejó en libertad, contra la voluntad de su esposa. Él no era codicioso.

El dragón se arrastró hasta el volcán más próximo, se enroscó en medio del cráter, alcanzó la cima, mordisqueó escorias con gran placer y dejó rodar mes a mes un huevo de oro por el cráter, donde se derretían.

¿Y qué sucedió con los diez huevos del pozo? Nueve de ellos los donó el príncipe, también contra la voluntad de su esposa, a la Sociedad para el Salvamento de Náufragos. El décimo se lo

sonsacó ella para hacer un curso de formación de pilotos de helicópteros.

Pasaron cincuenta años. El príncipe se había convertido en un viejo y cansado rey. Su mujer se había transmutado con los años en un auténtico dragón. Finalmente, el rey se había separado de ella, pero se había vuelto a casar. ¿Con quién? Con la princesa del castillo. ¡Era increíble cómo había cambiado! Resultaba hermosísima y muy dulce. Sólo conservaba algunas escamas en la nuca.

El carnicero y la cerda

Un carnicero tiraba con fuerza de una rolliza, saludable, limpia y rosada cerda hacia el matadero.

—¡Ay, carnicero! —chillaba ella muerta de miedo—. ¡No seas insensible, déjame vivir!

—Soy carnicero, por tanto mato reses —respondió impasible—. El cuchillo está afilado, el agua del caldero hierve. ¡Se acabó!

—¡Pero me gustaría tanto tomar unos baños de sol! —gimió la cerda—. ¡Y sería tan delicioso revolcarme en el cieno!

—Y yo vendo carne y embutidos —dijo el carnicero—. De eso vivo. Para poder vender carne y embutidos debo matar reses. Y ya no me puedo entretener más.

Entonces la cerda se arrodilló sobre las patas traseras, juntó las patas delanteras y dijo:

—¡Te lo suplico!

—Déjate de idioteces —respondió el carnicero impaciente—. No soy ningún dios. Soy carnicero.

—Yo puedo adorar a quien quiera —dijo la cerda—. A una roca o al sol o a un carnicero. No te queda más remedio que aceptarlo.

El carnicero enrojeció:

—¡Pero ni lo sé todo ni lo puedo todo! ¿Qué significa ser un dios?

—Para mí es suficiente que seas el señor de la vida y la muerte —dijo la cerda.

El carnicero se rascó detrás de la oreja.

—¿Se muere más tranquilamente si la muerte la dispone un dios? —preguntó.

—Claro que sí —contestó la cerda.

Se sentó sobre los cuartos traseros y reposó la cabeza, pensativa, sobre las pezuñas delanteras.

—Lo que viene de dios es el destino y, por tanto, inmutable —dijo la cerda.

—Pero, ¿cómo mata un dios a una cerda? —preguntó el carnicero desconcertado.

Entonces la cerda se rió y dijo:

—Si tú fueras la cerda y yo tu dios, te diría:

> *Soy tu señor*
> *y te domino.*
> *Soy el rayo*
> *y podría matarte.*
> *Soy tu dios*
> *y, si quieres soportarme,*
> *¡ámame!*

—Bien —dijo el carnicero—, si no es más que eso... —y pronunció la fórmula sobre la cerda, el cuchillo, el caldero y el matadero.

Entonces fue la cerda, se puso en el matadero, miró al carnicero con sus preciosos y pequeños ojos llenos de amor y dijo:

—Estoy preparada. Mátame.

Entonces sucedió algo totalmente inesperado para el carnicero, que se dijo: «No puedo matarla. Ni a ella ni a ningún otro cerdo. Tampoco a un buey, ni a un cordero, ni a una cabra».

No le quedó más remedio que cambiar de oficio. No, no se hizo dios. Se hizo pintor.

Se dedicó el resto de su vida a pintar a la cerda: sentada, tumbada, comiendo, durmiendo, en los prados bajo el cielo azul, en la nieve. Los cuadros encontraron ávidos compradores, sobre todo porque él sabía pintar ojos de cerdo muy expresivos. Alojaba a la cerda en una bonita y limpia pocilga, para lo cual había reformado una habitación de su casa, y le había hecho una salida al jardín.

Y cuando ella murió, sólo la sobrevivió tres días. Ambos yacen desde entonces en una tumba doble en el cementerio de...

No, no lo voy a revelar. De lo contrario se acabaría su bien merecida tranquilidad.

El antivampiro

En la ciudad de Praga, una pareja de vampiros tuvieron una vez un niño que era totalmente distinto al resto de los niños vampiros. Aunque ostentaba largos y afilados colmillos, no tenía la sangre negra, sino roja. Y no era flaco, pálido, tétrico, sino mofletudo y rollizo: ¡incluso se rió el primer día!

Los padres estaban muy preocupados. Pero esperaban que estas rarezas irían desapareciendo con el tiempo. Al fin y al cabo también nacen potros negros y pardos que de mayores se convierten en blancos.

Y también debe de pasar con los niños humanos, que vienen al mundo con el pelo negro y después se les pone rubio, o al contrario.

Los papás vampiro observaban a su hijo un día sí y otro no. ¿Estaba hoy un poco más delgado que ayer? ¿Estaba un poco más pálido, un poco más tétrico?

Pero el niño —sus padres le habían puesto de nombre Basilio— seguía igual. Crecía y se desarrollaba, incluso magníficamente. Pero continuaba rollizo, mofletudo y risueño; por tanto, nada vampiro. ¡Como un angelote! De manera que todos los vecinos, amigos y parientes —por supuesto, nada más que vampiros—, al verlo, se horrorizaron por su fealdad y pensaron con tristeza: «¡Pobres padres!».

En cuanto Basilio ya no pudo tomar la leche del pecho de su madre —por cierto, ¿sabíais que la leche de vampira es negra?— y tuvo que ser alimentado con comida propia de vampiros, se manifestó en él, para consternación de sus padres, otra peculiaridad nada propia de los de su especie: ¡no quería sangre! Daba igual que su madre le pusiera en la boca una rodaja de morcilla o de naranja sanguina, o que su padre le acercara a los labios un vaso de sabrosa sangre de cordero o intentara darle sopa de sangre a cucharaditas: Basilio estornudaba y lo escupía.

Ni una vez quiso carne. Pero le encantaban las espinacas. Las espinacas, ¡lo más repugnante que un auténtico vampirito puede imaginar! Las espinacas sólo estaban permitidas en pequeñísimas cantidades, ¡porque contenían muchas vitaminas!

Cuando se manifestó la extraña pasión de Basilio por las espinacas, sus padres intentaron mantenerlo alejado de las verduras. Pero Basilio chillaba tanto que sus gritos retumbaban en toda la calle. Sólo se calmaba con las espinacas. Y cuando su padre intentaba mezclárselas con sangre, el pequeño Basilio lanzaba al suelo el plato, que se hacía pedazos y salpicaba por todas partes.

En pocas palabras: no había remedio. Los pobres padres debían hervir espinacas para el niño todos los días. Después quedaba un tufo en toda la casa sencillamente repugnante. Los demás vampiros se mudaron. No podían soportar por más tiempo el mal olor. Porque los vampiros lo único que toleran es el aroma de sangre y de moho.

Los padres de Basilio se avergonzaban y tenían miedo, porque ahora podía ocurrir que los vampiros se congregaran ante su casa y quisieran ver a Basilio, ese vampiro-come-espinacas. Por eso se fueron a vivir a otro barrio y allí procuraron ocultar a su hijo.

Pero los vampiros que compran espinacas todos los días llaman inevitablemente la atención de los otros vampiros. Y así, por fin, acabó por descubrirse todo.

La abuela de Basilio, tan viejecita que llevaba dos colmillos postizos, aconsejó a los padres que acudieran a un buen médico de vampiros. Por aquel entonces había dos vampirólogos en Praga, el doctor Cerdúnez y el doctor Ojerizo. Acudieron a Cerdúnez, porque era más joven y quizá estuviera familiarizado con métodos curativos más modernos que su colega.

El doctor examinó al niño meneando la cabeza, le pellizcó los mofletes, lo palpó y lo auscultó, le pidió que le mostrara la lengua, le examinó los ojos con una linterna, le tomó la temperatura, le dio unos golpes en la rodilla con un pequeño martillo, estudió sus colmillos, le sacó sangre y la miró al microscopio.

Por último, hizo una prueba: extraer sangre roja e inyectar sangre negra. ¡Así quizá el niño tendría un desarrollo más normal, cuando menos parecería más pálido y se le abriría el apetito de sangre!

Pero un cambio de sangre era peligroso. Por eso el doctor hizo primero una pequeña prueba, para ver si Basilio toleraba la sangre negra. ¡Menos mal que se le ocurrió! Pues en cuanto introdujo en la vena del niño un poco de sangre negra, Basilio puso los ojos en blanco y comenzó a respirar con dificultad.

Entonces, el doctor Cerdúnez afirmó horrorizado que no había ninguna esperanza. A pesar de los dientes, estaba clarísimo que no era un vampiro. Una característica innata con la que tendría que vivir.

¡Ay, cómo lloraron los padres! Pero Basilio cantaba de alegría.

Cuando Basilio comenzó a ir al colegio, a decir verdad se le tendría que haber acabado la alegría. Pues todos los vampiritos acudían corriendo y le miraban con la boca abierta, por ser tan rollizo y mofletudo. Y cuando se tomaba las espinacas en el recreo, mientras los demás vampiritos chupaban con una pajita, oía cantar a coro: «La espinaca es sosa, la sangre sabrosa» y «Si espinacas comes, vampiro no eres». También su padre, que le recogía del colegio al medio-

día, oyó canturrear una coplilla: «¡Qué vergüenza, papá, tu hijo come *espinacás!*».

Realmente, Basilio hubiera tenido motivos de sobra para entristecerse y adelgazar. ¡Pero nada de eso! Se reía mucho cuando los otros se burlaban de él. Se comía sus espinacas y decía risueño:

—Yo como lo que me gusta, y lo que me gusta son precisamente las espinacas. Chupad vuestra sangre y que seáis felices.

Incluso engordó todavía un poco más, tanto que hasta se le formaron hoyuelos en las mejillas. Pero para los vampiros no hay nada más feo que los hoyuelos. Al final nadie quería jugar con él, porque parecía tan diferente del resto y además atufaba a espinacas.

Pero esto tampoco le importaba. Él jugaba por las tardes, cuando los otros vampiros dormían, con los niños humanos. Ellos lo querían. Cuando llegaba al parque todos lo llamaban:

—¡Basilio, ven!

—¡No, aquí!

—¡No, no, aquí!

Los niños se extrañaban un poco de sus largos y afilados colmillos. Pero a la hora de jugar no importaba nada. Y, además, también había niños con dientes de conejo, orejas de soplillo o piernas arqueadas. Lo importante es que fueran buenos compañeros de juegos, y Basilio era excelente.

Todo iba bien. Sólo los padres se sentían muy desgraciados por esas amistades no vampiras. Le prohibieron que tratase con niños humanos. Ya era bastante malo que llamara la atención por sus atracones de espinacas y por sus malas notas y pusiera en evidencia a sus padres. No debía marginarse más.

Estaban, en efecto, hartos de sus notas de vampiro. Sin embargo, era bueno en Matemáticas, Escritura y Lectura (¡en las escuelas de vampiros modernas también se enseñaban, naturalmente!). También destacaba en Higiene Dental, de gran importancia para los vampiros. Pero en la asignatura de Deporte Vampiro sacaba insuficiente, porque estaba demasiado rollizo para actividades que requerían velocidad como Acercamiento-sigiloso, Entrada-por-claraboya o Picado-relámpago-sobre-víctima. También sacaba insuficiente en Historia de los

Vampiros, porque no le interesaba, así como en Hematología, ya que se ponía malo sólo de pensar en la sangre.

Cuando sus compañeros se burlaban de él por sus malas notas, se limitaba a enseñar los dientes y decía:

—Total, yo no encuentro que el colegio sea tan importante.

Los vampiritos se quedaban atónitos y lo contaban en casa, y sus padres se sorprendían igualmente y se lo contaban al padre de Basilio; éste le propinaba tales bofetadas que le ponían la cara al rojo vivo. La madre, mientras, se retorcía las manos y se lamentaba:

—¡Qué hemos hecho para que seas tan distinto a los demás...!

Pero lo peor de verdad llegó cuando Basilio tenía unos trece años y, como a otros niños de su edad, le cambió la voz, que se hizo más grave, y empezó a mirar a las chicas. A esa edad empezaban los vampiros a chupar sangre. Por eso sus padres le observaban con atención, con la esperanza de que se despertara en él el deseo de sangre.

Y así sucedió un buen día. Ocurrió justamente cuando paseaba con sus padres por el Jardín Botánico de Praga una nebulosa y oscura tarde de noviembre. (¡Para los vampiros el mes de noviembre es el más bonito del año!)

Pasaron por delante de un banco, en el que, bajo una farola, estaba sentada una niña pálida y delgada, un poco más joven que Basilio. Tenía los ojos llorosos, porque estaba pensando, muerta de miedo, en el trabajo de matemáticas del día siguiente. Seguro que le pondrían una mala nota. ¡Y su padre era tan estricto! En resumen: esta muchacha sentía que la vida era horrible y que mejor sería estar muerta.

¿Qué hizo entonces el joven vampiro? Corrió hacia la niña, que no sabía qué le ocurría, la estrechó en sus brazos y le clavó los dientes en el cuello. Ella gritó horrorizada, cerró los ojos y se quedó completamente tranquila.

¡Ay, qué felices se sintieron los padres de Basilio! ¡Por fin quería sangre! ¡Por fin había clavado los dientes! ¡Por fin se comportaba como un auténtico vampiro! ¡Por fin se había despertado! ¡Por fin había recordado lo único que era importante para sus semejantes! ¡Oh, Basilio, Basilio, hijo de nuestro corazón!

Se equivocaban por completo y no tardaron en darse cuenta, pues vieron con gran asombro que la muchacha no había palidecido aún más —es decir, no estaba cadavérica como uno se pone cuando pierde mucha sangre—, sino que sus mejillas habían recuperado el color y se reía entusiasmada. Cuando el joven vampiro se apartó de la niña, ésta saltó, hizo una pirueta y gritó alegremente:

—¡Mañana lo haré mucho mejor!

Y salió corriendo con tanta rapidez que dejó a su paso un remolino de hojas caídas.

Basilio estaba pálido por primera vez en su vida, tenía ojeras y deseaba con todas sus fuerzas comerse unas espinacas.

Entonces sus padres comprendieron que su hijo no había chupado sangre, sino que la había donado. ¡Era, por tanto, un antivampiro! ¡Horror! Eso es para los vampiros muchísimo peor que no serlo. Más o menos como practicar el canibalismo para los seres humanos.

Y así sucedió que los padres, tras unos cuantos días y noches sin parar de llorar, decidieron en un consejo de familia con todos sus parientes que no querían tener nada que ver con este hijo anormal.

—Vete donde quieras —le dijeron a Basilio con aspecto sepulcral—. Lo mejor es que sea lejos. Tan lejos que no volvamos a saber nada de ti. Nos has deshonrado y, si te quedaras, no harías más que causarnos daño. Desde este momento dejas de ser nuestro hijo.

Le dieron un sobre con algo de dinero, lo echaron de casa y le cerraron la puerta en las narices.

¿Qué fue de él? Lo primero que hizo fue recorrer Praga buscando un restaurante que tuviera espinacas en el menú. Por fin encontró uno y pidió tres raciones. Después otras dos. Comió hasta que sus mejillas recuperaron el color y los hoyuelos. Se reía tanto que todos los comensales se volvieron hacia él asombrados. Y después partió hacia América. Para eso le llegaba el dinero que le habían dado sus padres. Se embarcó en el buque *Aurora*.

Llegó bastante pálido y con mal aspecto, pues se había mareado tanto durante la travesía que no podía retener nada en el estómago. Ni siquiera las deliciosas espinacas que sólo le habían dado una vez durante el viaje. Cuando dos días más tarde, con el mar en calma, se encontraba un poco mejor, se acercó hasta la cocina y con gran timidez pidió espinacas. Recibió una ruda respuesta:

—Las hemos tirado por la borda. Una vez ya fue demasiado. Por todos los diablos, ¿a quién le gustan las espinacas?

Por tanto, en adelante, tuvo que tragarse todas las cosas incomibles de los humanos.

Pero eso no duró mucho; sólo hasta que empezó a trabajar como lavaplatos en un restaurante vegetariano de Nueva York. Allí podía comer tantas espinacas como quisiera, y allí descubrió también las zanahorias y la remolacha. Le gustaban muchísimo.

Con semejante dieta engordó con rapidez y recuperó de nuevo sus hoyuelos y sus mejillas sonrosadas. Todos lo querían: los cocineros, los pinches, los camareros y los clientes. Aunque tuviera los colmillos extrañamente largos. Una vez le preguntó un cocinero mientras le señalaba los dientes:

—Basilio, ¿no serás una especie de vampiro?

—En absoluto —respondió Basilio muy serio, y añadió vacilante—: Para nada —y después dijo lleno de alegría—, ¡pero puedo morder!

¡Y provocó una carcajada general!

Algunas pinches encontraban a Basilio tan guapo que querían quedar con él después del trabajo. Pero él no quería que nadie se inmiscuyera en su tiempo libre. Quería estar solo. Pues vagaba por la gigantesca ciudad y observaba a quienes estaban pálidos, tristes o tenían mal aspecto. Cuando descubría tipos así, le sobrevenían unos incontrolables deseos de rodearlos con los brazos y clavarles los dientes en el cuello. Y lo hacía. En el primer momento se agitaban un poco, sobre todo cuando sentían las dos punzadas. Solía tratarse de gente que no estaba acostumbrada a que la abrazaran. Pero en cuanto sentían la sangre fresca, tan cálida, corriendo por su cuerpo, se reían felices, se tranquilizaban y disfrutaban.

Una vez fue un abuelito solo; otra, un niño apocado que, sentado en el borde de un cajón de arena, miraba con nostalgia cómo jugaban otros niños; otra, una jovencita con acné que se consideraba espantosamente fea; otra, un parado al que nadie quería dar trabajo, por lo que no sabía cómo iba a poder alimentar a su familia; otra, una mujer que ya tenía varios hijos, estaba esperando otro y no confiaba en sus fuerzas para atenderlos debidamente.

A Basilio se le iluminaba la rolliza cara cuando más tarde el abuelito, con la espalda muy tiesa, se alejó de allí silbando, el niño tímido se acercó a los otros niños y jugó con ellos, la jovencita con granos en la cara sacó un espejo del bolso y se maquilló, el parado se puso a buscar trabajo con renovadas esperanzas, y la madre de cinco hijos se alegró por la llegada del sexto y pensó: «¡Bienvenido sea!».

Pero estas donaciones de sangre le producían después un gran cansancio. No

podía hacerlo más de una vez al día. Y luego tenía que comer montañas de espinacas para recuperar el color de las mejillas. Pero esto ya iba siendo demasiado para el dueño del restaurante vegetariano. ¡A menudo, al día siguiente no quedaban espinacas para los clientes!

Y despidió a Basilio.

El antivampiro se limitó a reírse. En ese tiempo había conseguido ahorrar dinero y compró un restaurante vegetariano en la pequeña ciudad de Flat Cake, en el estado de Oklahoma, al que llamó La Cocinita de Basilio. Este nombre gustó a todos. ¡Sonaba tan alegre, tan apacible!

Cerró un trato con un agricultor para que cultivara espinacas, zanahorias, remolacha y hortalizas sin pesticidas sólo para él.

El negocio creció fabulosamente. Venía gente de muy lejos que deseaba probar el exquisito suflé de espinacas y la empanada de espinacas, sus maravillosas tartas de zanahoria o su famosa ensalada de remolacha. Estos platos tan selectos no eran baratos. Pero los clientes abandonaban el restaurante muy satisfechos, porque Basilio los atendía con gran amabilidad y alegría.

Y aún más, seguía empleando su tiempo libre en abrazar y morder a aquellos que lo necesitaban, para entibiar la sangre de su cuerpo. Sobre todo de su corazón. No pedía nada, lo hacía gratis. ¡Cuestión de honor!

Cuando el antivampiro cumplió treinta años sintió deseos de casarse. Ahora tenía ingresos suficientes para poder formar una familia.

¿Pero con quién? Difícil pregunta. En todo el estado de Oklahoma había sólo dos vampiras solteras y ambas tenían ya edad suficiente para ser abuelas. Y en el caso de que desearan ardientemente casarse, seguro que no estaban dispuestas a hacerlo con un antivampiro.

Entonces decidió, tras pensárselo mucho, casarse con una mujer humana.

Primero se prometió con la hija del que le cultivaba las espinacas. Se llamaba Elisa y un día heredaría la granja. Tenía un aspecto muy elegante; cada semana se teñía el pelo de un color distinto y cambiaba de peinado. Tenía las pestañas tan largas como escobas y tres armarios llenos de ropa. Y no trabajaba en la granja, pues, como ella decía, se le estropeaban las manos. Lo que más le gustaba era ser admirada en el restaurante. Y si alguien se lo pedía, incluso cantaba. Pero con su canto se agriaban las ensaladas, tanto que los clientes protestaban airadamente. Basilio no habría podido soportarlo. Y encima, Elisa le exigía cada vez con más vehemencia que se limara los colmillos, por lo que se apartó de ella y se casó con la muchacha que tenía granos en la cara, a la que le había dado sangre. Se llamaba Rosita y se había convertido en una rolliza joven de mejillas arreboladas y a la que le encantaba reírse. Llevaba el pelo corto y rubio, color que siempre mantuvo, y era una excelente cocinera; había inventado

dieciséis platos de espinacas diferentes —a cada cual más exquisito—, había combinado la remolacha con el queso y era capaz de ofrecer a los clientes unas fabulosas delicias de zanahoria. Hacía mucho tiempo que se le habían quitado los granos y no le molestaban los largos colmillos de Basilio.

Tuvieron siete hijos: tres sin dientes de vampiro y cuatro con ellos. Los que no tenían colmillos eran auténticos humanos. Y de los otros cuatro, dos tenían sangre negra y eran vampiros de verdad.

Estos dos últimos no lo tuvieron muy fácil en el colegio de Flat Cake. Los otros niños se burlaban de ellos porque tenían los colmillos muy largos y un aspecto flaco, triste y tétrico. Y sobre todo por su apetito de sangre. Su madre tenía que prepararles siempre zumo de naranja sanguina para llevar al colegio. Lo succionaban del vaso con una pajita durante el recreo. Lo hacían con gran fastidio. Pues, más que el zumo de sanguina, lo

que les gustaba era la sangre. Sangre de carnero o de toro, por ejemplo. Pero Rosita no se atrevía a darles auténtica sangre para llevar al colegio: habrían asustado a los otros niños.

La tomaban en casa ¡en grandes cantidades! Sangre de toro envasada de la última matanza, mientras los tres niños humanos los observaban meneando la cabeza. Para ellos, los refrescos eran mucho más ricos. Y los dos pequeños antivampiros salían corriendo, porque les ponía malos el olor a sangre.

Los dos auténticos vampiritos crecieron de modo inmejorable con esta sólida dieta de vampiro, realmente flacos, pálidos y tristes. Basilio no se enfadaba porque trajeran insuficientes en Religión y Sociales. Pero cuando tenían trece años y comenzaron a morder y a chupar sangre, tuvo que mandarles que se fueran, con todo el dolor de su corazón. En el estado de Oklahoma, al que muerde y chupa sangre lo meten en la cárcel. Y Basilio quería evitarles eso. Y así, mandó a su hijo Juan a la Tierra del Fuego con los pingüinos, y a su hijo Pepe a la cordillera del Himalaya con los yetis. ¡Los dos se las prometían muy felices!

Basilio, el antivampiro, era mi bisabuelo. Sólo lo vi una vez en persona.

Cuando yo tenía cuatro años, vino unos días con su mujer, Rosita, a Praga, donde yo vivía entonces con mis padres. Acababa de pasar una pulmonía y todavía estaba pálido y débil. Me dio sangre. Fue estupendo. Sentí un calor maravilloso y de repente me encontré muy bien, recuperé el color de las mejillas y me reí. Y él se alegró de haberme ayudado.

¿Que si tengo colmillos largos y afilados? ¡Claro que no!

Pero soy mofletudo y me apasionan las espinacas. Y si me encuentro a alguien que tiene un aspecto triste y pálido, me entra un incontrolable deseo de abrazarlo.

Índice

Escribieron y dibujaron…

Gudrun Pausewang

Gudrun Pausewang tiene lectores en todos los países del mundo, que la adoran como si fuera una maravillosa abuela capaz de contar una historia detrás de otra. Lo puede hacer porque tiene mucha imaginación y ha vivido muchas cosas, algunas muy tristes, y también porque ha viajado mucho.

Nació en Alemania en 1928 y, al terminar la Segunda Guerra Mundial, tuvo que huir, junto con sus padres y sus cinco hermanas, a la que entonces era «la otra Alemania». Estudió en el Instituto de Pedagogía de Weilburg y después fue maestra de primaria.

Por eso pudo aceptar en 1956 el trabajo que le ofreció el Ministerio de Asuntos Exteriores en una escuela alemana en el otro extremo del mundo, en Temuco, al sur de Chile, a orillas del río Cautín, en un valle precioso, con el marco impresionante de la cordillera de los Andes al este y el océano Pacífico al oeste.

Nuevamente cambió de país en 1961: esta vez la trasladaron al trópico, a Maracaibo, en Venezuela. Después regresó a Alemania, pero sólo por cuatro años, ya que en 1968 volvió a Hispanoamérica, a Colombia.

Poco después de que naciera su hijo, en 1970, comenzó a escribir libros infantiles. En ellos refleja sus ideas en favor de la paz y denuncia la injusticia que hay en el mundo y que ella ha vivido tan de cerca.

Muchas veces le han dicho que sus historias son tristes, pero ella piensa que es mejor decir la verdad y por eso procura no sólo entretener a sus lectores sino enseñarles cosas, desde su compromiso de luchar contra la miseria, porque cree que «sólo a través de la formación se puede tener esperanza en un futuro mejor».

Gudrun Pausewang ha recibido numerosos premios y algunas de sus historias han sido llevadas al cine.

Markus Grolik

—¿Cuándo comenzó a ilustrar libros para chicos y chicas?

—Mis primeros trabajos no estuvieron directamente relacionados con el mundo de la literatura infantil y juvenil. Inicialmente, yo comencé a trabajar en el diseño de moda y realicé algunos dibujos para carteles de películas.

—¿Cuál ha sido su formación artística?

—En cierto modo, me considero un autodidacta. Porque, aunque estudié en la Universidad de Munich, desde que era niño sentí la necesidad de dibujar todas aquellas escenas de la vida cotidiana que me parecían divertidas. La formación académica en la universidad me ayudó a desarrollar y a perfeccionar la técnica de los trabajos que ya había comenzado por mi cuenta mucho antes; ya desde adolescente realizaba dibujos de todo lo que veía, siempre me acompañaba un bloc que era como mi diario.

—Además de sus ilustraciones para libros infantiles y juveniles, ha trabajado en el mundo del cómic. ¿Cómo llegó a él?

—De pequeño fui un asiduo lector de cómics. Las historietas que más me gustaban eran las que tenían humor, y me entretenía mucho observando cómo en ellas se reflejaban las situaciones cómicas. Por ello, el humor es un elemento fundamental de mis dibujos.

—¿Qué sintió al recibir el premio en la fiesta del cómic de Munich en 1991?

—Una gran alegría, pero no por el premio en sí, sino porque me sentí bastante satisfecho con mi trabajo. Bueno, también era importante que los demás reconocieran el valor de mi obra, y esto me animaba a seguir dibujando.

OTROS TÍTULOS PUBLICADOS

Mi primer libro de poemas
J. R. Jiménez, Lorca y Alberti

Un libro de poemas tiene una magia
parecida a los cuentos donde aparecen
varitas de oro que transforman lo que tocan.
Los poemas tienen también secretas palabras
para transformar las cosas.

Operación Yogur
Juan Carlos Eguillor

A María y a sus amigos les gusta
comer pies de goma negra, manos blandas,
esqueletos azules y corazones de azúcar.
Un día encuentran un yogur parlanchín...

La bruja de las estaciones
Hanna Johansen

Todo lo que ocurre en el transcurso de un
año —las fiestas tradicionales, los cambios
de estación, los cumpleaños...— queda
magníficamente ilustrado en esta
pequeña agenda de bolsillo.

Las horas largas
Concha López Narváez

Como cada año, los pastores inician su viaje: hay que conducir más de mil ovejas desde las sierras de Burgos a tierras de Extremadura. Martín es un zagal decidido a recorrer los caminos de la Mesta.

Lisa y el gato sin nombre
Käthe Recheis

Lisa no es rubia, ni tiene rizos, ni cara de ángel como sus hermanas; pero tiene un amigo muy especial, con el que se encuentra a menudo entre los arbustos del jardín. Es un gato sin nombre y sin dueño...

La mirada oscura
Joan Manuel Gisbert

Hace años, la extraña conducta del granjero Eugenio Aceves le convirtió en el principal sospechoso de dos asesinatos y tuvo que huir del pueblo. Pero ahora, el enigmático personaje ha vuelto y Regina, la protagonista, teme por la vida de su padre, empleado de la granja. Mientras los vecinos exigen justicia.

Tiempo de nubes negras
Manuel L. Alonso

Un día en que Manolo se encuentra solo en casa descubre unas esposas que su padre ocultaba y se pone a jugar con ellas. Cuando quiere quitárselas se da cuenta de que no tiene la llave.

La casa del árbol
Bianca Pitzorno

¿Sabes qué les sucederá a dos chicas que, cansadas de su piso de la ciudad, eligen la copa de un árbol para vivir? Allí construirán una casa para recibir amigos y celebrar fiestas.

Una nariz muy larga
Lukas Hartmann

Durante unas vacaciones, Lena y Pit se alejan de la playa y caminan hasta la entrada de una cueva. Allí se encuentran con un personaje vestido con una túnica y que oculta su cara con las manos...